LAUGHTER'S MEANT TAE KEEP YE YOUNG –
THAT'S THE SECRET TAE YEARS O' FUN.

EIGHTY YEARS O' THE BROONS. FANCY THAT. WHAT'S OOR SECRET, MAW?

I DINNAE KEN, PAW – MAYBE IT'S A' THE FUN WE HAE. EVEN BACK IN THE HARD TIMES.

PLOP!

MIND WHEN WE ATE THON DUMPLING ON THE TRAM TAE FIND THE MONEY IN IT FOR OOR FARES.

EAT QUICKER – I HAE ITHER PASSENGERS.

HERE'S THRUPPENCE. WE JUST NEED ANOTHER HA'PENNY.

THEN THERE WAS THE TIME HEN'S CHEAP KILT SHRUNK WHEN WE WERE HIKING TAE THE BUT AN' BEN.

HE INVENTED THE MINI KILT TWENTY YEARS AHEAD O' ITS TIME.

REMEMBER IN THE SIXTIES WHEN FOWK STARTED TAE TOW CARAVANS? YOU HIRED ANE ON THE CHEAP.

WELL, WE DIDNAE HAE MUCH MONEY BACK THEN.

HA-HA! IT WAS A HORSE-DRAWN CARAVAN.

AYE, AND MAGGIE MADE MONEY TELLING FORTUNES FRAE THE BACK DOOR WHEREVER WE STOPPED.

THEN THERE WAS THE TIME THE BAIRN TELT US GRANPAW WAS IN A JUDO MATCH.

IT TURNED OOT TAE BE A LUDO MATCH.

AAARRGH!

OH, WHAT'S WRANG, M'DEARIE?

MY HOT WATER BOTTLE IS LEAKING.

I'VE BURNT MY TAES. OOYAH!

HA-HA! I REST MY CASE, PAW – OOR SECRET IS THE FUN.

HOP!

WE'RE GOING OOT WI' GRANPAW.

HOW COME?

10

HE FORGOT TAE GET BESSIE GOW A CARD THIS YEAR.

BUT SHE'LL NO SKELP HIM IN FRONT O' US BAIRNS.

HA-HA-HA!

I'M AWA TAE PUT A SECRET VALENTINE CARD THROUGH ANAYA SINGH'S DOOR.

SHE'S DROP DEAD GORGEOUS. YE'VE NAE CHANCE THERE, BROTHER.

GEORGE IS TAKING ME FOR A ROMANTIC CANDLELIGHT CRUISE TAE MILLPORT.

ERCHIE AND ME ARE HAVIN' PUDDEN SUPPERS IN THE BUS SHELTER WHAUR WE FIRST KISSED.

WHAT ARE YOU DOING FOR VALENTINE'S DAY, PAW?

I'M NO' DOING A THING - I'M HAVING A COUPLE O' MATES ROOND.

NAH! EVEN YOU ARE NO' THAT DAFT.

COME AWA IN, LADS.

HE IS THAT DAFT!

I'D DISOWN THAT MAN O' YOURS, MAW. HE'S GOT YE NOTHING FOR VALENTINE'S DAY.

AND HE'S NO' TAKING YE OOT - HE'S GOT SOME PALS IN.

WHIT'S THIS I HEAR ABOOT YOU HAVIN' PALS ROOND ON TODAY OF ALL DAYS?

RIGHT ENOUGH, I SUPPOSE IT IS VALENTINE'S DAY SO I SHOULD TAK' YE OOT.

BUT YOU AYE SAY THERE'S NAE PLACE LIKE HAME.

THAT'S WHY I HIRED THE CHEF AND HEAD WAITER FRAE THE ROYAL GEORGE TAE COOK AND SERVE US A ROMANTIC MEAL AT HAME. CHEERS, MY LOVE.

PAW BROON - YE STILL KEN HOW TAE TAK' MY BREATH AWA.

GRANPAW'S HABITS ARE FOUND
BY A GIFTED BLOODHOUND.

SPARE CLAES ARE NEEDING SHIFTED, BUT IT'S NO' JUST THE BAG THAT GETS LIFTED.

THERE'S THAT MONY CLAES IN THIS HOOSE THAT NEVER GET WORN. I'M GOING TO TAKE THEM TAE A CHARITY SHOP.

I'LL DAE IT - THAT BAG LOOKS HEAVY.

BESIDES, I DINNA WANT YOU CARRYING A BAG THROUGH THE TOON. THERE'S FOWK OOT THERE THAT WOULD ROB YE.

AYE, OKAY THEN.

I REALLY JUST WANTED A LOOK IN THE BAGS.

I KENT MAW WOULD TRY TAE THROW OOT MY AULD STRIPEY JERSEY.

I HOPE SHE'S NO' THROWING OOT A GUID PAIR OF BINOCULARS?

NAH, THEY DINNA WORK.

HA! HA! WE KNEW SOMEBODY WID LOOK THROUGH OOR TRICK BINOCULARS.

AND NOW PAW HAS TWA BLACK EYES. SNIGGER!

LATER...

THERE'S AN AWFY COMMOTION ON GLEBE STREET. IT'S LIKE THE POLIS HAE LIFTED A ROBBER.

THAT'S AWFY CLOSE TAE HAME. PAW DID WARN ME ABOOT FOWK LIKE THAT.

I HOPE PAW'S OKAY. I'D GO AND SEE BUT EMMERDALE IS COMING ON.

THIS MAN SAYS HE'S NO A BURGLAR AND THAT HE BIDES HERE. BUT HE LOOKS AWFY SHIFTY TAE US.

PAW BROON! WHAT ARE YE LIKE? AYE, HE'S OORS, OFFICERS.

THIS IS A CIVIL LIBERTY - AND ME DOING A CHARITY DELIVERY AT THAT.

WHEESHT, MAW. WE'VE NEVER SEEN THIS MAN BEFORE, SERGEANT.

HEN THINKS HE'S AWFY CLEVER, BEIN' PREPARED FOR BAD WEATHER.

IT'S NO' A LUNCH FOR MEN –
CHEESE AN' BREAD AGAIN.

INSTEAD O' TRACKIN' A WILD BEAST, THE BOYS ARE HUNTIN' FOR A FEAST.

DAPHNE BROON'S QUITE THE CHARMER
WHEN THERE'S THE CHANCE O' MEETIN' A FARMER.

MIKE OGILVY SAID YOU COULD GO UP TAE HIS FARM AND SEE THE WEE EASTER CHICKS THAT HAE HATCHED.

HE'S A YOUNG FARMER WHO ISNAE MARRIED YET.

I'LL TAK YE THIS MORNING, SIS.

HOORAY!

MAN ALERT, MAGGIE. I'M AWA TAE MEET A DISHY FARMER. YE'LL HAVE TAE DAE SOMETHING WI' MY HAIR.

I'LL GIVE YE A NEW STYLE.

OCH, NO! THERE'S NAE HAIRSPRAY LEFT.

BEFORE HAIRSPRAY, WE USED SUGAR WATER. IT WAS AWFY STICKY, MIND.

USE IT - I'VE GOT TAE LOOK SMART.

RICHT, LET'S GO AND SEE SOME CHICKS, DARLING.

ARE YE NO' AWFY POSH FOR GOING TAE THE FARM, DAPHNE?

AW, THE EASTER CHICKIES ARE SO CUTE.

I WONDER WHERE THE CUTE FARMER IS?

THIS IS MY YARD, LADY.

EEK! GET AWA FRAE ME, YE BRUTE. EEK!

STAB!

HELP! SAVE ME!

DINNA LET IT EAT ME.

JINGS! IT'S DAPHNE BROON.

IS THAT ONE O' THEY DESIGNER HATS YE'RE WEARING, DAPHNE?

YES, IT'S MY EASTER BONNET. I'M A GIRL THAT AYE LIKES TAE MAKE AN EFFORT, MICHAEL.

DAE THE WEE CHICKIE'S SISTERS TELL FIBS LIKE MINE?

PAW BROON'S HUNG OOT TAE DRY
WHEN HE FALLS FOR A BARGAIN BUY.

WHEN BILLS GET TAE MUCH TAE HANDLE,
PAW BROON LAYS OOT THE CANDLE

MAW BROON'S NOT ONE TAE BLETHER – NOW FOR THE NEWS AND THE WEATHER.

DOES ONYBODY WANT ONYTHING WHILE I'M OOT AT THE SHOPS?

AYE, YE'LL BE BLETHERING WI' ALL YER PALS, NAE DOUBT – SO ASK JEANIE SIMM FOR HER DAUGHTER'S MOBILE NUMBER.

AND FIND OOT IF THE NEW BALDIE LAD ON THE CHECKOUT IS MARRIED.

AND IF YE SEE MRS DOW, ASK HER IF SHE'S THINKING O' SELLING HER CAR CHEAP.

STEADY ON! I DINNAE GO ABOOT GOSSIPING A' DAY.

JACKIE BIRD, HOW ARE YOU DOING? I SEE YE ON THE TELLY A' THE TIME, BUT WE'VE NO' MET IN AGES. YE LOOK AS LOVELY AS EVER.

HELLO, MAW. ARE YOU STILL BUSY LOOKING AFTER THAT BIG FAMILY OF YOURS?

AS WELL AS GETTING A' THEIR SHOPPING, THEY WANT ME TAE BE GOSSIPING ON THEIR BEHALF NOW.

YOU POOR THING – COME WITH ME, MAW.

LATER...

THAT'S HALF PAST SIX AND MAW STILL ISNAE HAME. SHE MUST BE HAVING A REAL GOSSIP FEST TODAY.

AND SHE'S NO' MADE ONYTHING FOR OOR TEA YET.

WE FINISH TONIGHT WITH A SPECIAL NEWS REPORT FROM AUCHENTOGLE.

AUCHENTOGLE? WHAT'S THIS?

ITEM ONE – PRETTY SUSAN SIMMS SAID TODAY SHE WOULD NEVER GIVE HER NUMBER TO THAT LANG STREAK O' MISERY CALLED HEN BROON.

ITEM TWO – THE NEW BALDIE LAD AT THE CHECKOOT IS, IN FACT, MARRIED TAE SENGA SLAMM, THE LADIES WRESTLING CHAMPION. SO DAPHNE BROON HAD BETTER BEWARE.

ITEM THREE – PENSIONER, MRS DOW, ANNOUNCED THAT IF SKINFLINT JOE BROON WANTS HER CAR, HE CAN MAKE HER AN OFFER – THEN DOUBLE IT!

THANKS, JACKIE.

NICE ONE, MAW.

I'M LATE. I THOCHT YE MIGHT HAE GONE OOT FOR YOUR TEA.

WE'RE NEVER SHOWING OOR FACES IN AUCHENTOGLE AGAIN.

WELL, NO' UNLESS I HAE A DISGUISE ON.

WI' GADGETS CONSTANTLY IN USE, THERE'S NO SPARE SOCKETS IN THE HOOSE.

JOE, CAN I BORROW YOUR DRILL TAE PUT THIS SHELF BACK UP ON THE WALL?

YOU CANNAE JUST NOW, PAW. I'M CHARGING IT, BUT IT'LL NO' BE LANG.

I'LL HAE A CUP O' TEA WHILE I'M WAITING.

THE KETTLE IS NO' PLUGGED IN.

I'M CHARGING MY PHONE JUST NOW, FATHER DEAR.

HELP MA BOAB!

CAREFUL, PAW.

I'M CHARGING MY IPAD.

DON'T TELL ME - YOU'RE CHARGING SOMETHING TAE?

AYE - MY HEATED SCARF. I'M GOING OOT SOON.

WELL, I'M CHARGIN' TAE - FOR A' THE EXTRA ELECTRICITY YOU ANES ARE USING WI' YOUR DEVICES.

HERE YE ARE, IF IT KEEPS YE QUIET.

THIS IS A' YE'RE GETTING TILL PAYDAY.

AWA AND PHONE GRANT CAMERON THE JOINER TAE COME AND MEND THE SHELF. I'VE GOT MONEY HERE TAE PAY HIM.

YE'RE A FLY AULD DEVIL, PAW BROON.

PING!

THIS RELATIONSHIP WINNAE THRIVE, AS DAPHNE LEARNS TAE DRIVE.

BETTER BEWARE
O' THE WHEELY CHAIR!

THE QUEEN'S BIRTHDAY JUBILATIONS
GIE GRANPAW IDEAS FOR HIS ANE CELEBRATIONS.

HERE'S AN ACTION PACKED AFTERNOON AT PIPERDAM WI' THE BROONS!

THE BAIRN WANTS TAE BE LIKE MAW ONE DAY – BUT THERE'S ONE THING SHE DISNAE HAE.

CAFE STYLE DINING IS VERY NICE – JUST A PITY ABOOT THE PRICE.

TEAM BROON IS IN DISARRAY, BUT MIGHT THE LADIES WIN THE DAY?

PAW HAS SKILLS BUT HERE'S THE PROOF,
THEY DINNA INCLUDE PATCHING THE ROOF.

HORACE BROON ISNAE KEEN
TAE LOOK AWA FRAE PORTABLE SCREENS.

THE BROONS AYE KEN HOW TAE LAUGH – EVEN WHEN THE WATER'S AFF.

DAPHNE BROON FEELS DOUBLE-CROSSED,
BUT MAYBE HER ROMANCE IS NOT ALL LOST.

THANKS FOR GIVING US THE NEWS, ROSS. I'M AWFY HAPPY FOR YOU BOTH. LOVE TO BRIANNA.

ALWAYS GOOD TO CHAT TO YOU, MAW. SPEAK SOON.

GREAT NEWS! OOR PAL IN LA, ROSS KING, IS GETTING MARRIED.

CALM YERSEL, DAPHNE.

WHIT? THE DOUBLE CROSSER! HE SAID HIS HEART WAS MINE. WE'LL SEE ABOOT THIS.

COMPLIMENTARY DRINK, MISS BROON?

AYE, LEAVE THE TROLLEY – I'M AWFY SAD.

SOON, IN LOS ANGELES –

ROSS KING, YOU SAID YOU WERE IN LOVE WITH ME AND NO ONE COMPARED TAE ME.

GLARK! HOLD ON, DAPHNE. I WAS TALKING ABOOT YOUR MEALY PUDDENS. THE ONES YOU COOKED FOR ME.

LISTEN THOUGH, MY ACTOR PAL GERARD BUTLER IS IN SCOTLAND NOW, VIEWING A CASTLE.

GERARD BUTLER, I'VE MET HIM.

HE'S A BIT O' A'RICHT!

MAYBE I WILL HAE A CELEBRITY WEDDING.

COMPLIMENTARY DRINK, MISS BROON?

AYE, LEAVE THE TROLLEY – I'M AWFY HAPPY.

CASTLE TOGLE, VACANT SINCE THE HIGHLAND CLEARANCES. OFFERS OVER TEN BAWBEES. MAY NEED SOME UPGRADING.

WHAT WERE HIGHLAND CLEARANCES, GERARD?

HELLO, GERARD! MIND O' ME, BIG BOY? AND BEFORE YE ASK, I WILL MARRY YE!

D-D-DAPHNE BROON!

IS THIS A HIGHLAND CLEARANCE, MAYBE?

GIES A KISS, YE BRAW WEE HIGHLAND LADDIE.

SORRY, DAPHNE – I'VE GOT A FILM TO MAKE RIGHT NOW!

JOE'S SUMMER JOB IN THE SUN
PAVES THE WAY FOR BRAW BROONS FUN!

PAW SHOULD HAE TESTED HIS BRAKES BEFORE ENDIN' UP IN STOORIE LAKE.

HEN BROON'S NO' A SPORTY YIN,
BUT THERE'S ANE PRIZE HE'LL ALWAYS WIN.

IT'S THE GLEBE STREET FAMILY SPORTS THIS AFTERNOON.

WE HAVE TAE WIN MAIR TROPHIES THAN THE BAIN FAMILY THIS YEAR. TEAM BROON IS READY!

WHAT ARE YOU GOING TO DAE, HEN?

EAT ICE CREAM. I'M NAE USE AT SPORTS.

HOORAY! FIRST TROPHY TAE US.

EEEK! SOMEBODY'S PUT A MOOSE IN MY SACK.

OCH! THEY CHEATING BAINS HAE WON.

HOP!

WELL DONE, DAPH! SHE'S WON THE SKIPPING TROPHY.

BARGE!

JINGS! PAW'S BEEN CHEATED IN THE EGG AND SPOON RACE. WE'RE TIED WI' THE BAINS AT TWA TROPHIES EACH.

WE JUST NEED ONE MAIR BROONS WIN.

BUT THERE'S NAE SPORTIN' BROONS LEFT.

AYE, THERE IS - ME.

BUT HEN, YOU CANNAE RUN.

I KEN THAT - AND THIS EVENT WILL BRING ME RIDICULE, BUT I'M WILLIN' TAE TAKE A HIT FOR THE FAMILY.

THE WINNER OF THE KNOBBLIEST KNEES CONTEST IS HEN BROON - AND BY SOME CONSIDERABLE WAY!

KNOBBLY KNEES CONTEST

WHIT RARE - WE'VE A TROPHY MAIR THAN THE BAINS.

WELL DONE, HEN - YOU'RE THE BRAVEST OF US A'.

I'M SURE I'LL LIVE IT DOON BY NEXT YEAR.

KNEES CONTES

GRANPAW THINKS THAT HIS GRANDDAUGHTERS
HAE LOST THE PLOT FOR BUYIN' WATER.

THEY'RE SELLIN' LOCAL MINERAL WATER AT THE VILLAGE SHOP.

AYE, THE BUT AN' BEN SPRING WATER - PURE AS IT COMES.

PAYIN' GUID MONEY FOR BOTTLES O' WATER. WHAT'S IT COMIN' TAE?

BUT, GRANPAW - IT'S THE FRESHEST O' STUFF.

IT'S A GUID JOB I'VE GOT MAIR GUMPTION. A' I NEED IS HEN AN' JOE'S AULD CARTIE AN' OOR RAIN BARREL.

I KEN FINE WHAUR THE FRESHWATER SPRING IS. I KEN THE COUNTRY LIKE THE BACK O' MY HAND.

SURE ENOUGH...

NOO WE'LL HAE GALLONS FOR FREE.

I'LL PUT THE LID ON THE BARREL, THEN IT'S DOONHILL A' THE WAY!

JINGS! I FORGOT HOW HEAVY A BARREL FULL O' WATER CAN BE.

ER, PAW, THERE'S A BARREL ON A CARTIE HEADIN' STRAIGHT FOR US.

CRASH!!

AND SO...

WILL YE MANAGE TAE REPAIR THE BARREL?

AYE - MY NAME'S NO' 'COOPER' FOR NOTHIN'.

YE'D HAE BEEN CHEAPER WI' BOTTLES FRAE THE SHOP.

IT DISNAE HAVE TAE BE A HOLIDAY FOR THE BROONS TAE LAUGH AN' PLAY.

THE FAMILY'S LOOKIN' TAE COOL DOON -
BUT THEY WINNAE FOLLOW POOR PAW BROON.

DAPHNE'S TRYIN' TAE LOSE WEIGHT, BUT SHE'S NAE DOIN' GREAT.

A GIFT HAS PAW EXCITED –
BUT WILL HE BE DELIGHTED?

GRANPAW'LL BE BACK FRAE HIS PENSIONERS' BUS TOUR.

IMAGINE BEIN' STUCK ON A BUS A' THE WAY ROOND EUROPE WI' THAT AULD BLAWHARD.

ACH, HE'LL BE OWER HERE ON THE SCROUNGE FOR A FREE FEED BEFORE YE KNOW IT.

WE SHOULD STILL GO ROOND AN' WELCOME HIM BACK HAME.

STOP BEIN' AN AULD GRUMPY HEID, PAW. GRANPAW'LL HAVE BROUGHT YE BACK A BRAW PRESENT.

WHIT? HIM? LIKE LAST YEAR'S PRESENT?

HE TOLD ME HE'D GOT ME A NEW SET O' PIPES.

SEE? HANDCARVED, THEY PAN-PIPES.

I CANNAE USE THESE – AN' I JIST THREW OOT MY PERFECTLY GOOD PIPE, THANKS TAE YOU!

AND...

COME AWA IN, YOU LOT. I WIS JUST UNPACKIN'.

WHIT A COINCIDENCE! AN' I SUPPOSE YE'LL WANT US TAE HELP, YE FLY SO-AND-SO.

NAH, I'M NEARLY DONE. THERE'S JIST THE PRESENTS FOR YOU LOT.

WHIT? THAT? IT'S A FAIR SIZED PARCEL.

I PACKED THEM A' UP WI' THAT FOAM STUFF. WOULDNAE WANT YOUR PRESENTS BREAKIN', NOO. CAREFUL GETTIN' THEM HAME.

OH, AYE? GLASS ARE THEY? LIKE A WEE BOTTLE O' SOMETHIN'?

HE'S PACKED THEM TIGHT, RICHT ENOUGH. NAE CHANCE O' ONY BREAKAGES WI' A' THIS STUFF.

GOOD JOB WI' THE SHOOGLIN' YE GAVE THEM RUNNIN' HAME TAE OPEN IT.

WHIT'S THIS? SNAWSTORMS? A' THAT FOR STUPID WEE SNAWSTORMS?

AW! AREN'T THEY BONNY, PAW? LOOK – THE EIFFEL TOWER AN' THE LEANIN' TOWER O' PISA!

IF IT'S SOMETHIN' BIGGER YE WANT, PAW...

ACH! THE AULD GOAT'S DONE IT TAE ME AGAIN!

...HOW'S ABOOT THIS FOR A SNOWSTORM?

GRANPAW BROON COMES OOT ON TOP WHEN HE SHARES HIS GARDEN'S CROPS.

GRANPAW MIGHT HAE MET HIS MATCH – WHO'S GOT THE BETTER VEGETABLE PATCH?

IT AYE CAUSES A PANIC
WHEN PAW BROON'S A MECHANIC.

PEACEFUL DAYS ARE HARD TAE FIND
WHEN THERE'S ELEVEN BROONS TAE MIND.

PAW BROON GETS A SHOCK –
TAKIN' A SHORTCUT ON THE MEMORY WALK.

THE MATCHES HAE BEEN OVERLOOKED
SO THE SASSIDGES CANNOT BE COOKED.

TONI'S IN DANGER O' CLOSIN' DOON
WHEN A NEW RESTAURANT OPENS IN TOON.

GRANPAW AND HIS CRONIES ARE DROUTHY MEN
WHO LIKE TAE SPEND TIME IN A SCOTTISH GLEN.

LISTEN TO GRANPAW ROAR,
WHEN SOMEONE OPENS THE LITTLE DOOR.

SOMEBODY SHOULD PUT A STOP
TAE GRANDPAW VISITIN' THE ANTIQUE SHOP!

GRANPAW BROON IS IN DISGRACE, WI' A SHAMED LOOK ON HIS FACE.

GRANPAW BROON'S NO' EASY TAE CHEAT –
THE GREATEST TRICKSTER ON GLEBE STREET!

SINCE WE'RE BETTER AFF THIS MONTH WE CAN PUT MAIR INTO OOR HOLIDAY JAR, JOE.

HERE'S AN EXTRA TWENTY.

SO, YOU BOYS ARE RICH? THAT'S WHIT I LIKE TAE HEAR.

YOU CAN PAY BACK THE TENNER YOU BORROWED AFF ME ON PENSION DAY.

I DON'T REMEMBER THAT. DAE YOU, JOE?

NAW, YOUR MEMORY MUST BE GOIN', GRANPAW.

THE TWISTERS.

POOR GRANPAW!

LATER...

THERE'S MONEY MISSING FRAE OOR JAR.

ER, WELL... I BORROWED A FIVER FOR THE LOTTERY. I'LL PAY YOU BACK.

AND I TOOK A TENNER FOR MY TRAIN FARE. YOU'LL GET THAT BACK TAE.

THIS IS NO' GUID ENOUGH. WE'RE NO' A BANK, Y'KEN!

TAKE THIS AULD SAFE – I HAVENAE USED IT SINCE I HAD MY COAL ROOND.

THE VERY DAB! PUT ALL OOR CASH IN IT, JOE.

NAEBODY WILL GET THEIR STICKY FINGERS ON IT NOO.

SLAM!

INCLUDING US IF WE CANNAE OPEN IT!

THERE'S A COMBINATION.

AYE, BUT WHAT IS IT?

OH, I DINNA REMEMBER. MY MEMORY MUST BE GOING – JUST LIKE YE SAID.

BUT TEN POUND MIGHT BRING IT BACK.

CRIVVENS! THE AULD ROGUE HAS JUST STUNG US.

COME ON, PET LAMB. WE'LL HAE OURSELVES A WEE TREAT AT TONI'S.

THAT PAIR ARE JUST BEGINNER TWISTERS COMPARED TAE MY GRANPAW.

THE BAIRN DOES THE YOUNG ANES A FAVOUR
WHEN THEY WAKE THEIR DOONSTAIRS NEIGHBOUR.

HURRY, MAW - PARENTS' EVENING AT THE SCHOOL STARTS IN TEN MEENITS.

I DINNAE TRUST THAT LOT TAE LOOK EFTER THE BAIRN - THEY'LL FORGET SHE'S THERE.

DINNA BE DAFT - AWA YE GO.

YOU AWA BEN THE HOOSE AND PLAY WHILE WE DAE OOR FITNESS CLASS.

HUH! MAW WAS RICHT - THIS IS NEGLECT.

PAT!

AND STEP FOR TEN, THEN FROG JUMP FOR FIVE...

MICHTY, THIS IS HARD.

HIGH AS YOU CAN JUMP FOR FOUR...

THUMP!   THUMP!

I'M COMING UP TAE SORT YOUSE OOT!

OH, NO! WE'VE WOKEN UP BIG HAMMER JOHNSON DOONSTAIRS.

HE SLEEPS A' DAY, SINCE HE'S ON NIGHTSHIFT AT THE NIGHTCLUB.

LOCK THE DOOR, QUICK!

HE'LL JUST KICK IT IN.

YOU LOT AWA BEN THE HOOSE - I'LL TAK CARE O' THIS.

JINGS! IT WAS JIST THE BAIRN MAKING THAT NOISE.

GOO-GOO. BA-BA.

THUMP!

I'M SORRY IF I FRIGHTENED YOU, MY WEE LASS. HAMMER WILL JUST AWA AND LEAVE YE TAE PLAY.

SHORTLY...

I WAS WRANG - THEY'RE TREATING THE BAIRN LIKE A PRINCESS.

AND I'VE MADE YE A MILKSHAKE.

THANKS, MY WEE LAMB - HAE THIS CAKE.

GET YOURSELF SOMETHIN' WI' THIS FIVER.

HERE'S A DOLLY I HAD WHEN I WAS YOUR AGE.

PAW KENS HE'S IN AN AWFY MESS
WHEN HIS BIG SON STARTS WEARING A DRESS.

I'M RESEARCHING OOR FAMILY TREE AND I'VE FOUND AN UNKNOWN BROON.

IF IT'S GREAT UNCLE CHARLIE - HE WENT TAE JAIL FOR BIGAMY.

LOOK, THIS BIRTH CERTIFICATE SAYS I'VE ANOTHER SISTER - HERMIONE BROON.

YE DINNA - AND YE'D THINK I'D KNOW.

LET ME HAE A LOOK AT THIS, HORACE.

IT'LL BE A COMPUTER ERROR. DINNA BOTHER ABOOT IT AND COME AND SIT DOON, WIFE.

THE MYSTERY LASSIE WAS BORN ON THE SAME DAY AS HEN. IS THERE ONYTHING YE WANT TAE SAY ABOOT THIS, PAW BROON?

AW, JINGS!

I WAS HAVING A GREAT TIME CELEBRATING THE BIRTH O' MY FIRST CHILD...

WE'LL CRY YE PAW BROON FRAE NOW ON.

...THAT WHEN I GOT TAE THE REGISTRAR I'D FORGOTTEN WHAT THE BAIRNIE WAS.

SEX AND NAME OF THE CHILD, MR BROON?

HIC! OH, JINGS! A LASSIE, I THINK AND TAE BE CALLED HERMIONE, MAYBE. HIC!

SO I'VE BEEN A LASSIE CALLED HERMIONE ALL THIS TIME?

AYE, AND I'LL BET HE DIDNAE GO AND CHANGE IT BECAUSE IT WOULD COST A FEW BOB.

WHAT DOES IT MATTER NOW? WE A' KEN YE'RE HEN BROON.

WELL, HERMIONE IS GOING TAE WEAR A DRESS UNTIL YE GET IT CHANGED.

HELP MAH BOAB!

SHE'S GOT BRAW HAIRY LEGS.

I'M AWA DOON TAE THE REGISTRY OFFICE. DINNA YOU DARE GO OOT THIS HOOSE.

IF IT'S CLOSED BRING BACK THICK TIGHTS. THIS DRESS IS AWFY SHORT.

HA! HA!

THE RAIN MAY BE POURING DOON
BUT THERE'S NOTHING WET ABOOT MAW BROON.

THE LASSIES ARE COOKIN' GRANPAW'S TEA -
BUT WHO WILL THE MASTERCHEF BE?

POOR JOE THINKS HE CANNAE
BEAT HIS FITBA COACH'S GRANNY.

THE LASSIES WILL FACE ONY FEAT
WHEN THERE MICHT BE CELEBS TAE MEET.

MAW DISNAE MIND A HIKE –
WHEN YE CAN GO DOONHILL ON A BIKE!

YOUR NOSE WILL STICK TAE THAT WINDAE, DAPHNE.

OH, HI MAW. I'VE SAVED UP HALF THE PRICE FOR THIS MOUNTAIN BIKE.

I'LL BE ABLE TAE CYCLE UP TAE THE BUT AN' BEN AND GET FITTER.

TELL YE WHAT, I'LL PAY THE OTHER HALF AND WE CAN SHARE THE BIKE.

THAT WEEKEND...

SEE YE AT THE BUT AN' BEN.

LOOK EFTER OOR VEHICLE, DAPHNE.

PANT! PECH!

THIS IS HARD. IT MUST BE TAKIN' THE POUNDS AFF.

DAE YOU WANT A SHOTTIE O' OOR BIKE, MAW?

NO' RIGHT NOW – LATER, MAYBE.

I FEEL GUILTY GOING CYCLIN' AGAIN. THE BIKE IS HALF YOURS, MAW.

WHEESHT! AWA YE GO.

PANT! PECH!

NEXT DAY...

RICHT, WHAUR'S OOR BIKE?

BUT, MAW – IT'S TIME TAE GO HAME.

THAT'S RICHT – AND IT'S DOONHILL ALL THE WAY! WHEEEE!

ARE THE BROONS A BUNCH OF TOUGHS THAT NEED CARTED OFF IN CUFFS?

WHAT ARE YOU DOING OOTSIDE THE POLIS STATION, MAGGIE? ARE YOU IN TROUBLE?

NO, I'VE MET A YOUNG DETECTIVE WHO'S JUST STARTED IN AUCHENTOGLE.

I'D BETTER GO, I'M HELPING OOT THE FAMILY TONIGHT.

I'LL BRING MY NEW LAD UP TAE MEET YE LATER.

IN 10 GLEBE STREET...

WE'RE PUTTING ON THIS PLAY FOR THE BOOLIN' CLUB SOCIAL IN TWA WEEKS.

I HOPE WE'RE STARTING TAE KEN OOR LINES NOW.

WE'LL REHEARSE WITHOOT THE BOOKS TONIGHT.

THAT'S A GUID IDEA.

SO...

ARE THE COPS ON OOR TAIL?

I THINK WE'VE LOST THEM.

SOMEBODY SET OFF THE ALARM.

NOT ME, BOSS. I'M JUST THE MUSCLE.

MEANWHILE...

WHAT A DAY! I DON'T KNOW WHO ARE THE GOODIES AND WHO ARE THE BADDIES IN AUCHENTOGLE YET.

IT'S MY FAMILY YE NEED TAE TALK TAE THEN.

HAE A SEAT WI' THE FAMILY, TIM. I'LL MAKE US A COFFEE AND SANDWICH.

TA, MAGGIE.

WHAUR'S THE GETAWAY CAR?

LEAVE THE CASH UNTIL THE HEAT DIES DOWN.

I TORCHED IT.

EH?

WE'LL LIE LOW IN SPAIN THIS WINTER.

I'VE GOT THE FAKE PASSPORTS.

RIGHT, WE LEAVE TONIGHT.

THIS MUST BE THE LOCAL MAFIA.

WELL, ARE YE GETTING TAE KNOW TIM...

GETTING TAE KNOW HIM? HE'S ARRESTING US!

DON'T TRY ANYTHING. I'VE CALLED FOR BACK UP.

HEN'S SURE TAE GO FAR WHEN HE BUYS A NEW CAR.

THE BROONS A' HAE A GUESS
TAE HELP HORACE WI' HOMEWORK STRESS.

IT'S NO' ONY O' THEM, READERS. IT'S AN AULD ROMAN CATTY, LIKE A CROSSBOW.

HELPIN' OOT ON FARMLAND
DISNAE GO AS DAPHNE PLANNED.

ARE YE ONY LIGHTER, DEAR?

NAW, MAW. I CANNY LOSE WEIGHT. THERE DISNAE SEEM MUCH POINT SOMETIMES.

FOR THE GOOD O' YER HEALTH, DAPHNE.

MAYBE IF I HAD SOMETHIN' TAE INSPIRE ME.

MY PAL ANGUS IS LOOKIN' FOR A LASS. HE'S A FARMER UP AT DEUCHNEY GLEN.

YOU COULD HELP THE LAD ON HIS FARM. THAT WOULD SLIM YE DOON.

AYE, CHASING SHEEP AND LIFTING BALES, THAT WOULD BE A GREAT WORK OUT.

HERE'S THE NUMBER. GIE HIM A RING, DAPHNE.

ANGUS, I'M JOE BROON'S SISTER. I HEARD YE WERE NEEDING SOME FEMALE COMPANY?

I'D LOVE TAE SEE YOU. MAYBE YOU COULD COME UP AND HELP ME AT WORK.

THIS IS A FINE HEALTHY WALK TAE THE FARM.

HELLO, DAPHNE - YOU'RE JUST AS NICE LOOKING AS JOE SAID.

HELLO, ANGUS. JINGS BUT YOU HAE A LOT O' CARS AT THIS FARM.

CORNSTALK CAFE

THAT'S CUSTOMERS AT THE NEW FARM RESTAURANT. I'M THE CHEF.

WHIT? BUT I THOUGHT YOU WANTED ME TO HELP WI' FARM WORK.

I DO - HELP ME DECIDE WHICH STOVIE RECIPE IS THE MAIST ORIGINAL.

HELP MAH BOAB! AND ME WI' A WEAKNESS FOR GUID STOVIES.

THAT NIGHT...

MICHTY! I CAN HARDLY MOVE.

DID YE WORK TOO HARD, M'DEAR?

WAS IT CHASING ABOOT AFTER COOS?

NAW, IT WAS THE FOURTEEN PLATES O' STOVIES AND OATCAKES!

THE BROONS FEEL RICHT AT HAME,
PLAYING SUCH A CRAZY GAME.

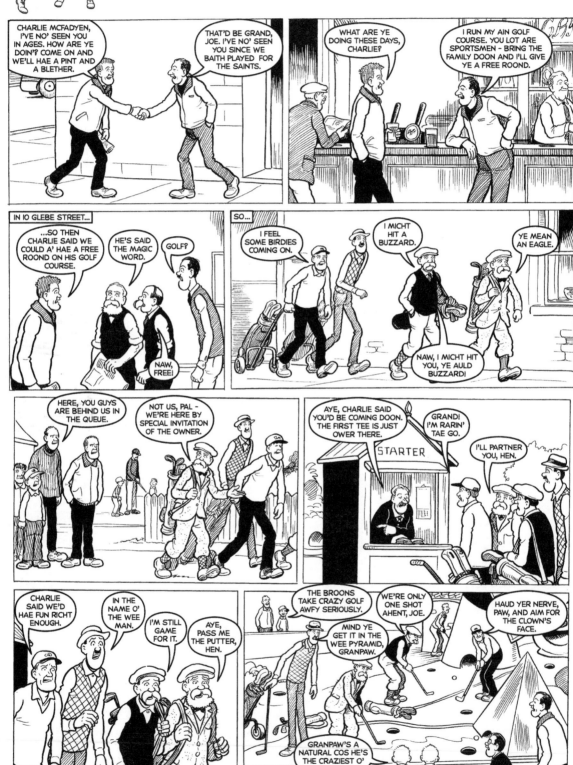

HERE'S A MAW BROON WE DON'T OFTEN SEE,
WHEN SHE WAS YOUNG, SINGLE AND FREE.

GROWING UP SHOULD HAUD NAE FEARS, THAT BAIRN IS WISE BEYOND HER YEARS.

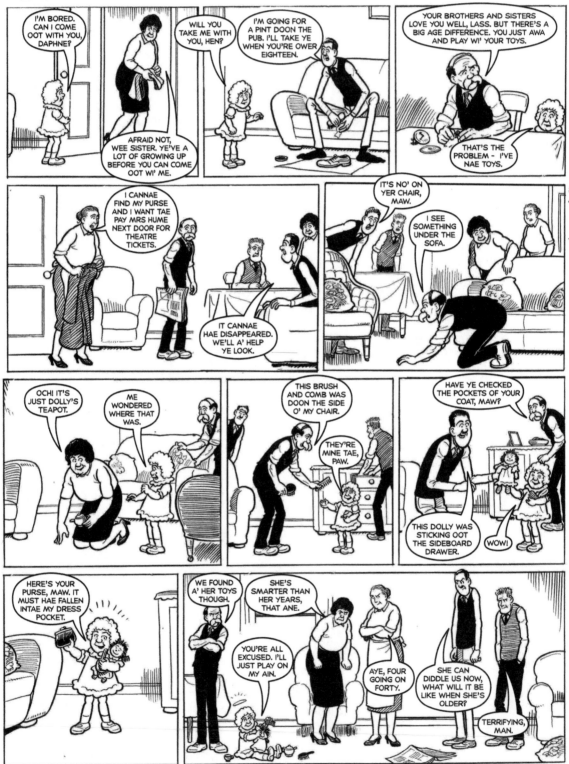

GRANPAW DISNAE THINK IT'S WEIRD TAE TELL TALES O' HIS BEARD.

GRANPAW, WHY DO YOU HAVE A BEARD?

OCH, MY WEE LAMB - BEARDS ARE THE GREATEST THINGS EVER INVENTED!

THEY KEEP YOUR FACE WARM IN WINTER - WHICH SAVES YE MONEY ON SCARVES.

ME SEES!

AND YE KNOW IF YE SPILL YOUR SOUP?

A BEARD'LL MOP IT UP WITHOOT ONYBODY KNOWIN'!

WANT TAE KNOW THE BEST BIT ABOOT HAEIN' A BEARD? YE CAN KEEP THINGS IN IT!

NAW! HERE'S A BARLEY SUGAR FOR YE, BAIRN!

WOW!

IT'S COMIN' UP FOR YOUR BIRTHDAY SOON, BAIRN. WHAT DO YE WANT THIS YEAR? A NEW DOLL, OR A TEDDY BEAR?

SOOK!

HAW-HAW!

NANE O' THAT RUBBISH! ME WANTS A BEARD LIKE GRANPAW'S!

WHIT A LASSIE!

YOU'VE GOT TAE WATCH THE PENCE WHEN DININ' WI' ECK SPENCE.

IF THEY DAE THIS RIGHT,
THE BROONS CAN HAE A GUID SKITE.

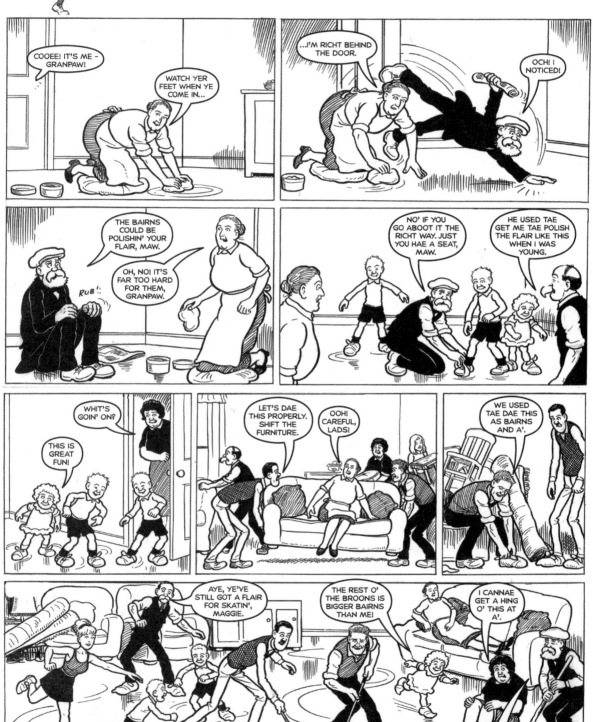

MAW'S IN A MOOD
AT THE STATE O' HER BROOD.

HEN'S LANG LEGS ARE OOT O' LUCK
WHEN HIS WELLY BOOTS GET STUCK.

A WEEKEND AT THE BUT AN' BEN...

IT'S RARE HAVING LONG LEGS AT THE BUT AN' BEN WHEN THERE'S AN OPEN FIRE IN THE BEDROOM. BRAW AND COSY.

HUMPH!

WHAT A RAIN LAST NIGHT, EVERYWHERE IS SOAKING.

WE'RE STILL GOING OOT FOR A WALK, RIGHT?

THERE'S JUST ONE PAIR O' WELLIES IN THE KITCHEN.

WHAT ON EARTH?

MY LONG LEGS CLAIMED THE WELLIES FIRST. HA-HA!

WE'LL HAVE TAE WALK AROUND THE MOOR. THE ESTATE HAS PUT AN ELECTRIC FENCE UP TAE KEEP FOWK AWAY FROM THE BOGGY POOLS.

WI' MY LONG LEGS I'LL JUST STEP OWER IT AND TAKE A SHORTCUT.

AW, NO! MY WELLIES ARE STUCK. I'M SINKING INTAE THE MUD.

MAYBE THE ELECTRIC FENCE IS NO' WORKING.

ZAP!

YEEOOWW!

AYE, IT IS WORKING.

LUCKY YOU'VE SUCH BRAW LONG LEGS TAE CLING ON TAE THON BRANCH WI', BROTHER.

JUST HELP ME DOON - PLEASE.

GRANPAW'S MONEY FRAE THE POOLS MAKES THE FAMILY ACT LIKE FOOLS.

WE SAW GRANPAW SHAKIN' HANDS WI' RON, THE COUPON MANNIE, THIS MORNIN'.

GRANPAW AYE LIKED THE AUSSIE POOLS, RECKONED THEY'D TURN HIS LUCK UPSIDE DOON.

THEY WERE TALKIN' ABOOT A HOLIDAY TAE THE BALLY-EARACHES.

WHIT? SURELY HE'S NO' WON THE POOLS? HE'D HAE TOLD US.

I WIDNAE PUT IT PAST THE AULD SCUNNER TAE WIN A MINT AN' NO' SAY A WORD. I'LL GIE HIM BALEARICS.

AND...

HE'S NO' IN. AULD BROON WAS HEADIN' FOR THE TRAVEL AGENTS. SOMETHIN' ABOOT THE POOLS, HE SAID.

THAT SETTLES IT, THEN!

A PLEASURE DAEIN' BUSINESS WI' YE.

THERE HE IS. A' BOOKED UP FOR THE TROPICS BY THE SOOND O' IT.

HE'S AWA INTAE THE POSH FURNITURE PLACE, NOO!

MAIST LIKELY TAE BUY A NEW THRONE. AN ARMCHAIR'LL NO' BE GOOD ENOUGH FOR LORD MUCK-A-MUCK NOO.

NEXT...

THE ESTATE AGENTS, AS WEEL? HOW MUCH HAS HE WON TAE BE LOOKIN' AT NEW HOOSES?

LOOK AT THAT IN THE WINDOW. I BET HE'S BUYIN' A MANSION!

AYE - YE CANNAE EXPECT MULTI-MILLIONAIRES TAE LIVE IN WEE COTTAGES.

AN' MILLIONAIRE'S FAMILIES SHOULDNAE BE LIVIN' UP CLOSES, EITHER! MOOCHES AFF US FOR YEARS, THEN STRIKES IT RICH AN' FORGETS US A'?

WAIT TILL I SEE THAT AULD ROGUE.

HULLO, YOU TWA. WHIT'S UP WI' YOU?

DINNA GIE US THAT! WE KEN WHIT YE'RE UP TAE. WHAUR'S THE POOLS MONEY?

I DINNAE KEN WHY THAT'S BOTHERIN' YE, BUT HERE IT IS. I'M JUST COLLECTIN' THE COUPON MONEY FRAE RON'S CUSTOMERS WHILE HE'S AWA VISITIN' HIS GRANDKIDS IN THE BALEARICS.

AN' TAE THINK WE THOCHT... OCH!

NAE MAIR TRAIPSING ROOND THE TOON - ONLY ONLINE SHOPPING FOR PAW BROON.

WE'RE AWA FOR A SHOPPING SPREE IN EDINBURGH. WE'RE STAYING OVERNICHT.

REALLY, YOU ANES ARE SHOPAHOLICS. YE NEED HELP.

SO YOU'RE NO' WANTING TAE COME WI' US?

NOT ME - THIS HOOSE IS FULL O' STUFF NAEBODY USES.

I DINNA REALLY MIND SHOPPING BUT I HATE TRAIPSING ABOOT THE STREETS.

FOWK DINNA NEED TAE DAE THAT ONYMAIR. YE CAN BUY ONYTHING AND EVERYTHING ONLINE.

IT'S AWFY EASY, I'LL SHOW YE HOW.

AYE, MAYBE I AM A BIT BEHIND THE TIMES.

SOON...

THIS IS AMAZING. YE CAN BUY REAL TACKETTY BOOTS. AND THERE'S AN OIL PAINTING O' THE AUCHENTOGLE SHIPYARD.

NEXT DAY...

IT'S BRAW TAE BE HAME. PIT THE KETTLE ON, PAW.

SO, IS YER MONEY ALL GONE AND ANOTHER LOAD O' JUNK BOUGHT?

NOTHIN' TOOK OOR FANCY AND WHAT WI' YOU MOANING, WE DIDNAE BUY MUCH.

MR BROON? I'VE GOT YOUR PARCELS.

WHIT'S THIS?

IT'S A' THE STUFF YE BOUGHT ONLINE LAST NIGHT, PAW. IT COMES REALLY QUICK NOWADAYS.

YOU'VE BEEN SHOPPING?

AYE, BUT JUST FOR NECESSITIES.

FOUR PAIRS O' SMELLY AULD SECOND HAND BOOTS?

A SCOTLAND RUGBY SHIRT FRAE 1962 THAT'S SIX SIZES TOO BIG.

AND YOU HAD THE NERVE TAE LECTURE US, YOU WEE MISERY!

WHIT CAN PAW LOSE
GOIN' SHOPPIN' FOR SHOES?

MAW CANNAE STAND THIS NEW TRADITION O' MOBILES AND TABLETS IN THE KITCHEN.

I MIND O' THE DAY WHEN WE USED TAE A' SIT ROOND THE BREAKFAST TABLE CHATTING AND LAUGHING TAE GET THE DAY STARTED.

PING!

BEEP!

LOOK AT IT NOW – A'BODY SITTING IN SILENCE, LOOKING AT AN ELECTRONIC GADGET.

FROM NOW ON THERE IS TAE BE NAE ELECTRONIC DEVICES AT BREAKFAST.

NA, NA – WE'RE NOT AGREEING TAE THAT.

YOU ARE JUST BEING AULD FASHIONED. THIS IS HOW BREAKFAST IS IN 2016.

PING!

BEEP!

NEXT MORNING...

GOOD MORNING, BROONS. READY FOR YOUR BREAKFAST?

PING!

OOR BACON ISNAE COOKED!

MY POACHED EGG IS RAW.

OOR BOILED EGGS ARE RAW TAE.

MY CARROT SMOOTHIE IS JUST A CARROT.

MY SASSIDGES ARE RAW.

MY COFFEE IS MADE WI' CAULD WATER.

I SAID NO ELECTRONIC DEVICES AT BREAKFAST – SO I NEVER USED THE COOKER, KETTLE, MICROWAVE, JUICER, OR TOASTER.

TRUCE, MAW – NAE ELECTRONICS AT THE TABLE.

WELL DONE. THERE'LL BE A BRAW BREAKFAST TOMORROW.

SLAP!

TCH! FANCY THINKING ME AULD FASHIONED. I'LL HAE A WEE GAME O' ONLINE BINGO ON THE SMART TELLY WI' MY CUPPA.

CLICK!

THEN WE'LL SKYPE AUNTIE HILDA IN AUSTRALIA.

BINGO

GRANPAW STRUGGLES TAE GET SOME REST - HIS MEMORY'S NO' THE BEST.

OH, WHIT A MESS - IN THE LOBBY PRESS.

WHIT'S THIS FRAE KEEPIN' A'BODY FRAE SLEEPIN'?

IT'LL NO BE A FUN DAY
WI' THE HOOSE KEY DOON A CUNDY!

TEN GLEBE STREET IS FAMOUS FOR NOISE,
THEY HAE SO MANY GIRLS AND BOYS.

FOR THE BAIRNS, MAW'S CONCERNED –
BAD HABITS ARE EASILY LEARNED.

WHEN CHANGING LIGHTBULBS, BEST BEWARE -
THERE ARE SAFER WAYS THAN STEPS OR CHAIR.

THE BROON BOYS ARE TAKIN' GREAT CARE CULTIVATING FACIAL HAIR.

IT'S THE FIRST OF NOVEMBER, OR SHOULD I SAY 'MO'VEMBER. THE LADS ARE A' GROWING MOUSTACHES FOR CHARITY.

MOVEMBER

I'VE HAD A MOUSTACHE FOR YEARS – I REALLY KEN HOW TAE LOOK EFTER THEM.

MY TEX-MEX MOUSER WILL KNOCK YOUR WEE THING INTAE A COCKED HAT.

MY 'MO' IS COMING ON WELL – I'VE THREE HAIRS GROWING NOW.

YOU BOYS ARE AMATEURS. ABODY ADMIRES MY CLASSIC MOUSTACHE.

TWIRL!

I'M DAEIN' THE OPPOSITE – I'M AWA TAE THE BARBERS TAE GET MY HAIR CUT AN' MY BEARD TRIMMED.

ME COMING WITH YE, GRANPAW.

YOU CAN EAT THIS HALLOWEEN TOFFEE APPLE WHILE YOU'RE WAITING ON ME, MAH WEE LAMB.

TOFFEE APPLE

USUAL, GRANPAW?

THIS IS REALLY STICKY BUT AWFY BRAW TASTING.

CAREFUL, LASSIE.

I'LL PUT THE STICK IN THE BIN...

WOOPS!

SLIP!

WE HAE A LATE ENTRY FOR THE MOUSTACHE GROWING COMPETITION.

AND SHE HAS A FULL BEARD TAE.

ME FELL AN' THE BARBER'S HAIR STUCK TAE MY STICKY FACE.

WE HAE A WINNER! HA! HA!

OH, MY WEE DARLING – COME ON AND WE'LL GET YE A' CLEANED UP.

GRANPAW'S PLAN CAUSES HAVOC
WHEN HIS GOAT ESCAPES ITS PADDOCK.

STORM ABIGAIL IS PASSED AND STORM BARNEY IS ON ITS WAY.

AYE, WE'LL HAE TAE GET THE BUT AN' BEN STORM PROOF.

WHIT A LOAD O' NONSENSE GIVIN' STORMS NAMES. THIS IS NO' AMERICA.

I THINK WE'VE GOT EVERYTHING EXCEPT MILK, IT DISNAE STAY FRESH WITHOOT A FRIDGE.

WE'LL JUST HAE TAE BRAVE THE STORM AND HIKE DOON TAE THE SHOP.

I HAE A PLAN THAT'LL SORT THE FRESH MILK PROBLEM FOR GUID.

NEXT MORNING-

I BOCHT THIS NANNY GOAT FRAE FARMER EASTON. FRESH MILK ON OOR DOORSTEP NAE MATTER THE WEATHER.

OF A' THE DAFT IDEAS - THERE'S ALREADY ANE AULD GOAT IN THIS FAMILY.

WHOOPEE! A BONNY GOAT.

AND DINNA LOOK AT US - YOU'RE MILKING IT.

WE'RE GOING TAE HAE A CUPPIE - AWA YOU AND GET US SOME MILK THEN, GRANPAW.

AYE, NAE BOTHER.

OCH! SHE'S ESCAPED. CANNAE HAE GONE FAR THOUGH.

OH, MICHTY - THERE'S MY GOAT AND IT'S EATING AGGIE MCFARLANE'S WASHING.

MUNCH!

SO IT'S YOU'RE BEAST THAT DESTROYED MY THONG. I'LL MURDER YE, BROON.

CRIVVENS! SHE'S SPOTTED US.

QUICK! BATTEN DOON THE HATCHES! STORM BIG AGGIE IS APPROACHING FAST.

STORM BIG AGGIE - THOUGHT YOU DIDNAE LIKE GIVIN' STORMS FOWK'S NAMES.

GET YER WALLET AND BUY ME NEW SMALLS OR I'LL CLATTER YE.

AYE, AGGIE! AYE, I WILL.

HA! HA! THAT MUST BE THE AYE O' THE STORM.

HEN AND JOE ARENAE SHIRKERS – THEY'RE BOTH BRAW HARD WORKERS.

PAW BROON QUICKLY CLOCKS
WHICH BROON IS STRONG AS AN OX!

THE BAIRN DISNAE WANT TAE BE LEFT ALONE
WHEN A' THE BROONS ARE LEAVING HOME.

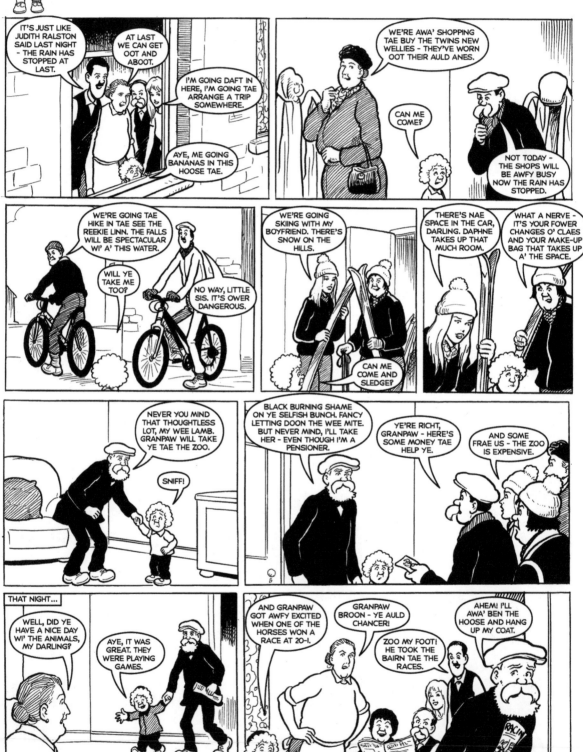

MAGGIE'S NEW LAD HAS A TWIN –
SO DAPHNE THINKS HER LUCK IS IN.

MAGGIE'S GOT A NEW CLICK – AND WHIT A SMASHER.

RUB THAT NONSENSE OOT! WHAT WILL MAGGIE'S NEW BLOKE THINK O' ME?

Here COMES DAPHNE BROO who KISSES EVERY BoyS IN ToON

THIS IS GAVIN, DAPHNE.

DON'T BE HARD ON THE BOYS – I'M A TWIN TOO AND WE GOT UP TO WILD STUFF ALL THE TIME.

SO, THERE'S ANOTHER LAD THAT LOOKS LIKE HIM.

I'VE GOT FOWER TICKETS TAE THE CARNIVAL TOMORROW NIGHT. BRING YER TWIN AND WE'LL ALL GO, GAVIN.

THAT WOULD BE GREAT. WE'D ALL GET TO KNOW EACH OTHER.

LATER...

I DINNAE HAE TICKETS, BUT I'LL GET THEM. WORTH IT TAE GET CLOSE TAE A BRAW FELLAH.

CASI

NEXT NIGHT...

HI, EVERYONE. THIS IS MY TWIN, MOLLY.

THIS IS A GREAT IDEA, DAPHNE. THANKS FOR INVITING ME.

T-TWIN IS A LASSIE?

DAPHNE DISNAE LOOK WELL.

SHE'S NO GUID ON THE WALTZERS.

WALTZER

US GIRLS KEN HOW TAE HAVE FUN, EH, DAPHNE?

AYE.

IT DISNAE HAE TAE BE CHRISTMAS TIME FOR THE BROONS TAE ACT LIKE A PANTOMIME.

GRANPAW'S EARLY NIGHT
GIES A'BODY A FRIGHT!

I THINK I'LL HAE AN EARLY NICHT.

HI, GRANPAW - WE'VE COME TAE VISIT YE.

EH? OH, AYE - THANKS VERY MUCH.

WELL, I'LL NO' KEEP YE - YE'LL BE NEEDIN' HAME.

B-BUT WE JUST GOT HERE, GRANPAW.

SHORTLY...

THAT WAS A GOOD MOVE - THEY WOULD HAE BLETHERED TILL A' THE WEE, SMA' HOURS.

JUST PUT THE MILK BOTTLE OOT - THEN INTAE MY SCRATCHER.

ACH! WHIT A SCUNNER! I MUST HAE LEFT THE SNECK AFF. THE DOOR'S LOCKED BEHIND ME!

IT'S A GOOD JOB THE WINDIE WAS OPEN.

POLICE

A-HA! WHIT'S GOIN' ON HERE?

SO...

B-BUT, IF YE TAK' ME TAE MY SON'S HOOSE, HE'LL TELL YE WHA I AM!

A' DESPERATE CRIMINALS SAY THAT!

CHUCKLE!

SOON...

WEE WILLIE WINKIE HERE SAYS HE BELONGS TAE YOU, SIR.

AYE, THAT'S MY FAITHER - THE SENIOR DELINQUENT.

I'LL NEVER LIVE THIS DOON!

PAW BROON'S NO' FEELING WEEL,
HIS VOICE HAS TURNED INTO A SQUEAL.

DAPHNE CAUSES A HUGE TO-DO –
THE BROONS WANT TAE SEE HER NEW TATTOO.

MAGGIE'S SEEIN' SOMEONE NEW – SHE'S NOW A MASTER OF KUNG FU!

CHRISTMAS PARTY SEASON STARTS TONIGHT. WAHOOO!

I'M HOPING TAE CLICK WI' BIG TAM OGILVY.

YOU CLICK WI' HIM EVERY CHRISTMAS. WHAT ABOOT YOU, MAGGIE?

WHITTLED DOON YER ADMIRERS TAE ONE OR TWO DOZEN?

I'VE BEEN THINKING ABOOT THE CHRISTMAS PARTIES, SO I'VE BEEN SEEING SOMEBODY.

I'VE TAE PICK UP MY NEW BREEKS – THEY'RE GETTING LENGTHENED.

THAT'S MAGGIE UP AHEAD – MUST BE HER NEW LAD.

HI SIS. GOT ALL YOUR GLAD RAGS LOOKED OUT FOR TONIGHT?

OH, HELLO – MUST DASH, GOT THINGS TO DO.

LATER...

LOOK OOT, AUCHENTOGLE – THE BROONS ARE READY TAE PARTY.

DOES MY BUM LOOK BIG IN THIS DRESS?

NAW, YOU'RE A DOLL, SIS.

MAGGIE BROON – STILL THE BEST REAR IN AUCHENTOGLE.

PAWS AFF, SUNSHINE.

PAT!

HO-SHU!

HOWL!

CRUNCH!

COME AND GIE ME A SNOG, MAGGIE.

TOUCH ME AGAIN AND YOU'LL BE SNOGGIN' THE FLAIR.

HAI-YEE!

GLARK!

THAT FELLAH WE SAW YOU WITH...

... HE WOULD BE A SELF-DEFENCE INSTRUCTOR MAYBE?

HAPKIDO ACTUALLY! NAE MAIR TAKING LIBERTIES WI' ME.

AYE, WE KIND O' NOTICED THAT.

MAW BROON'S SWEPT AFF HER FEET
WHEN PAW GIES HER AN UNEXPECTED TREAT.

MAW'S KITCHEN IS KEPT IN LINE
WITH STRICT ROUTINE THIS CHRISTMAS TIME.

DAPHNE'S NO' ONE TAE QUESTION WHY THERE'S MISTLETOE FLOATIN' IN THE SKY.